Conception et texte d'Yvette Barbetti
Illustrations de François Desbordes, Marcelle Geneste et Olivier Vaillon

Conseil scientifique : Thierry Auffret van der Kemp
Directeur scientifique et pédagogique de l'Espace des Sciences CCSTI de Rennes

Questions Réponses sur les animaux

Sommaire

Les animaux de la ferme

Les animaux de la forêt

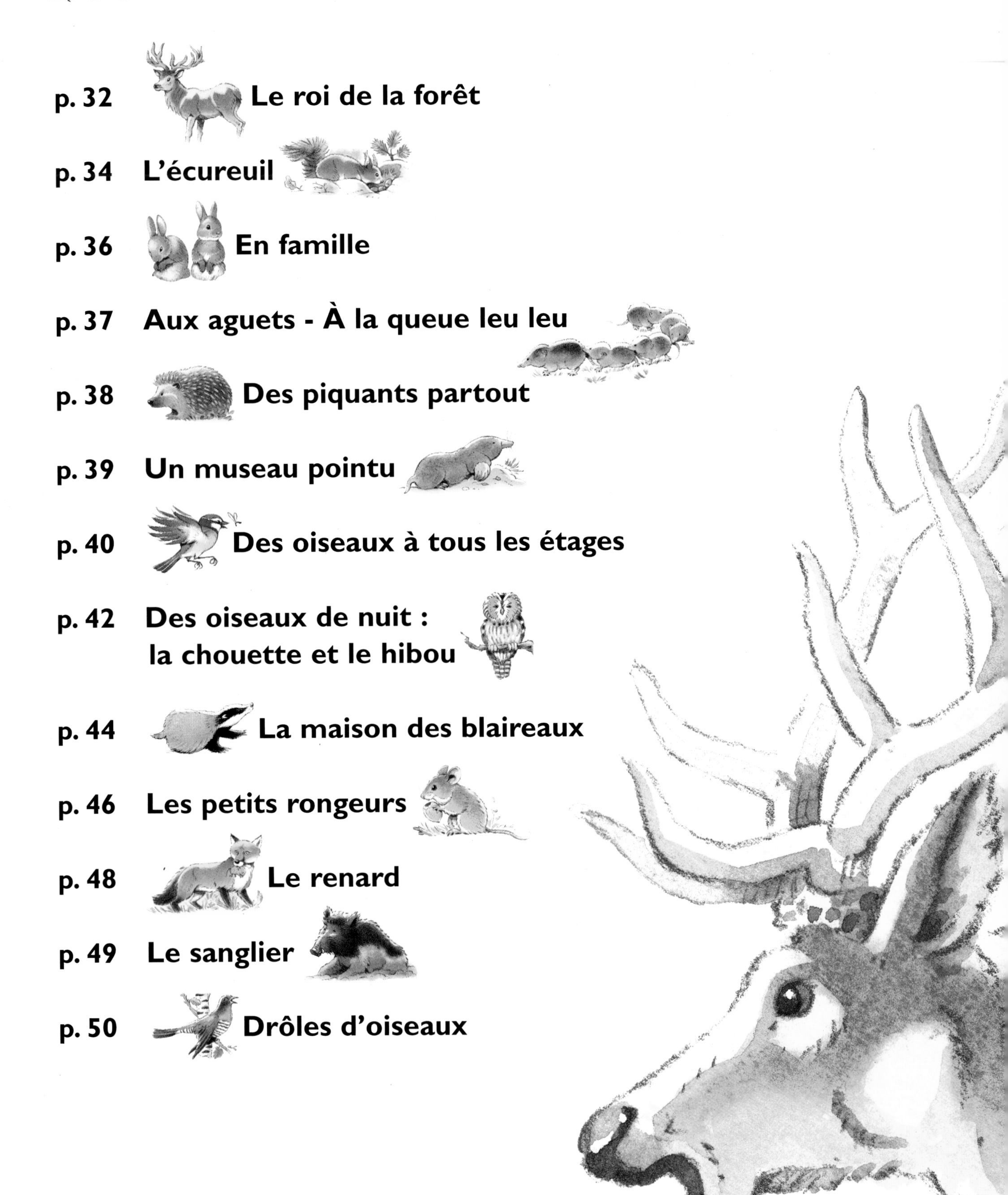

Les animaux sauvages

Les animaux et leurs petits

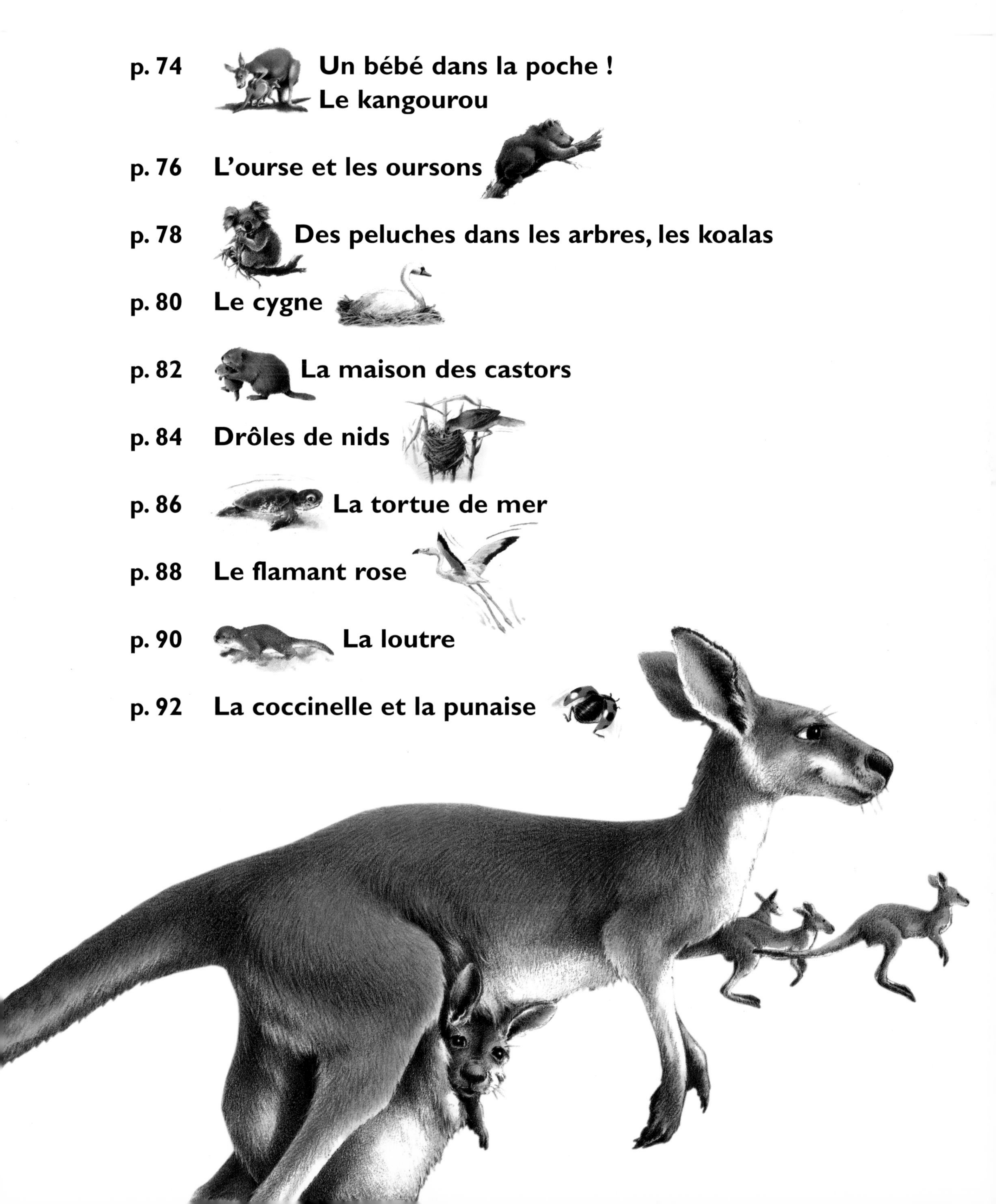

Dans la basse-cour

Comment s'appelle la maison des poules ?

C'est le poulailler : une petite construction en bois avec une échelle. Il sert d'abri aux poules. Dès que la nuit tombe, elles vont s'installer sur leur perchoir pour y dormir. Dans la journée, elles y pondent des œufs.

Le coq, le roi de la basse-cour

Les coqs se battent-ils ?

S'il y a deux coqs dans la basse-cour, ils ne se supportent pas toujours ! Parfois, ils se battent à grands coups de bec et il vaut mieux les séparer, car ils risquent d'y laisser quelques plumes !

Quand le coq chante-t-il ?

Le matin ! Le coq se lève en même temps que le soleil et pousse son cri : « Cocorico ! » Il réveille tout le monde ! Il dort la nuit dans le poulailler.

La poule et ses poussins

Comment naît le poussin ?

Au printemps, le coq fait la cour aux poules et s'accouple à elles. Puis les poules pondent des œufs qu'elles vont garder bien au chaud dans la paille en les couvant. Elles se lèvent de temps en temps pour aller manger mais regagnent vite leur nid car les œufs ne doivent pas prendre froid !
Au bout de trois semaines, les petits poussins jaunes au bec rose vont pouvoir sortir de leur coquille !

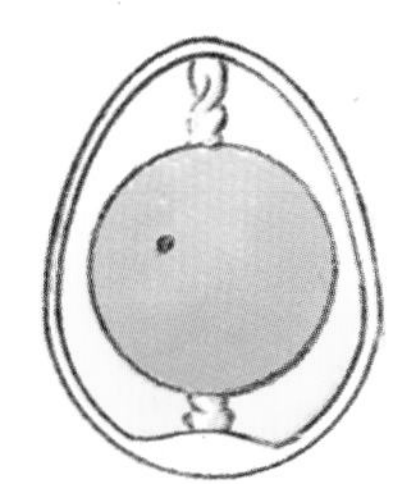

1er jour

Dans la coquille, il y a d'abord le blanc et le jaune.

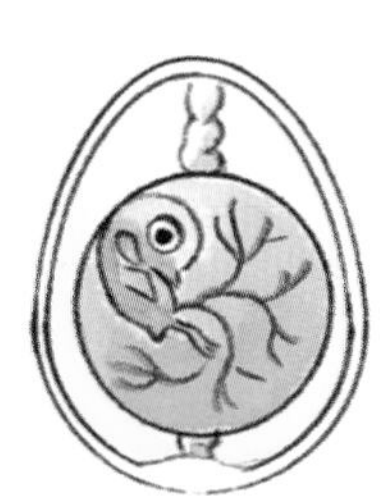

8e jour

Le petit poussin est déjà formé.

15e jour

Le petit poussin a grossi. Il est recouvert de duvet.

21e jour

Grâce à une petite pointe qui se trouve sur son bec, le diamant, le poussin peut briser sa coquille.

La mère poule s'occupe-t-elle bien de ses poussins ?

La poule garde ses petits sous ses ailes pour les protéger du danger mais aussi pour les réchauffer. Elle les appelle pour manger et les surveille sans arrêt.
Quand ils font « piou-piou », les poussins pépient.

Que fait la poule après avoir pondu un œuf ?

Toute fière, la poule se met à chanter très fort : elle caquette. L'hiver, la poule s'arrête de pondre, tout comme lorsqu'elle élève ses poussins. Sinon chaque jour, dans la paille, elle pond un œuf !

La poule peut-elle voler ?

La poule bat des ailes, s'envole et atterrit presque aussitôt. Elle est trop maladroite pour voler haut et longtemps.

La poule a-t-elle des ennemis ?

Attention au renard et à la belette qui rôdent parfois près du poulailler. Ils aiment bien de temps en temps se mettre une poule sous la dent !

Comment se nourrit la poule ?

Avec ses griffes, elle gratte la terre à la recherche de vers et d'insectes. Elle picore des grains de blé, de l'herbe et du maïs.

Le lapin

Comment sont élevés les lapins ?

À la ferme, les lapins vivent dans des cages appelées aussi clapiers. Le fermier leur donne des graines, des carottes et de la salade à manger. À la belle saison, si la cour de la ferme est bien clôturée, ils peuvent gambader en liberté toute la journée et grignoter leur nourriture préférée : l'herbe verte et tendre des prés. Un peu de luzerne, quelques trèfles, des feuilles de pissenlit, quel délicieux repas !

Comment s'appellent les bébés lapins ?

Ce sont les lapereaux. Lorsqu'ils naissent, ils sont tout nus, aveugles, sourds et minuscules, mais ils grandissent très vite ! Ils tètent le lait de leur maman, la lapine, qui peut donner naissance à dix petits, quatre fois par an.

Comment se déplace le lapin ?

Le lapin ne marche pas, il sautille !
Il se déplace en faisant des petits bonds sur ses pattes de derrière.

Pourquoi le lapin bouge-t-il tout le temps ses oreilles ?

Les oreilles du lapin sont toujours en éveil, à l'écoute du moindre bruit, car il a une excellente ouïe.

Le canard

Comment s'appellent les bébés canards ?

Ce sont les canetons. Ils suivent la cane, leur maman, en se dandinant. Tout jaunes et tachetés de marron, ils sont mignons, les canetons. Ils aiment barboter dans l'eau. À terre, ils aiment manger des vers, des graines, de la salade. Quand ils font « coin-coin », on dit qu'ils cancanent.

Le canard peut-il voler ?

Les canards domestiques ne volent presque pas. Le canard sauvage, lui, peut voler très haut.

Le canard se mouille-t-il dans l'eau ?

Près de la queue, le canard a une glande qui fabrique de l'huile ! De temps en temps, il en prend un peu dans son bec et l'étale sur ses plumes qui deviennent imperméables et ne se mouillent pas.

Le dindon

Pourquoi le dindon fait-il la roue ?

Au moment des amours, le dindon relève les grandes plumes de sa queue et les étale complètement en roue.
Il se pavane dans cette position, le cou gonflé, pour attirer la dinde, sa femelle.
Quand le dindon pousse son cri, on dit qu'il glougloute.

Qui est le dindon ?

C'est l'oiseau le plus majestueux de la basse-cour. Il est énorme et impressionnant avec sa tête et son cou dénudés. Les poules et les canards se passeraient bien de la compagnie de ce querelleur !

La pintade

Comment s'appellent les petits de la pintade ?

Ce sont les pintadeaux. La pintade aime bien cacher ses œufs pour couver tranquillement. Quand les petits sortent de leur coquille, ils savent déjà marcher et s'en vont très tôt picorer en compagnie des poussins.

Qui est la pintade ?

C'est un oiseau de basse-cour.
Sur sa tête déplumée, la pintade porte une crête rouge. Elle aime vivre en groupe avec les autres pintades. Elle bouge tout le temps la tête et court très vite.
Lorsque la pintade pousse son cri, on dit qu'elle criaille.

L'oie

Comment s'appellent les petits de l'oie ?

Ce sont les oisons. L'oie n'est pas comme la poule. Lorsque ses petits sortent de leur coquille, maman oie ne s'occupe pas toujours très bien d'eux, elle les délaisse même parfois.

Comment vit l'oie ?

Avec son long cou et ses pattes palmées, elle aime se déplacer en groupe et fait beaucoup de bruit. Elle broute de l'herbe en l'arrachant avec son bec et elle a un très gros appétit ! Quand l'oie pousse son cri, elle cacarde. Son mâle se nomme le jars.

Le pigeon

Comment s'appellent les bébés pigeons ?

Ce sont les pigeonneaux. Maman pigeon a pondu deux œufs. Elle va les couver à tour de rôle avec papa pigeon ! Quand les bébés naissent, ils sont aveugles et tout nus. Ils sont affamés ! Leurs parents les nourrissent avec une bouillie qu'ils fabriquent dans leur jabot et font remonter dans leur bec. C'est le « lait de pigeon ». Quand le pigeon pousse son cri, il roucoule.

Qu'est-ce que le pigeonnier ?

C'est une petite maison de pierre, ronde ou carrée, avec des petites ouvertures pour permettre aux pigeons d'aller et venir. Les pigeons élevés en liberté sont fidèles à leur pigeonnier et ils y reviennent toujours. Mais, de plus en plus, les pigeons sont élevés dans des volières ou dans des cages séparées pour chaque couple.

La vache

Comment s'appelle le bébé de la vache ?

C'est le veau. Dès sa naissance, maman vache le nettoie à grands coups de langue. Ses grosses mamelles lui donnent du bon lait que le petit veau va téter pendant plusieurs mois avant de commencer lui aussi à brouter l'herbe du pré.

Qui est le papa du veau ?

Il est fort et puissant, on le reconnaît facilement dans le troupeau : c'est le taureau. Parfois, il se bat à coups de cornes avec d'autres taureaux. Lorsqu'il pousse son cri, le taureau, tout comme la vache, meugle.

Comment se nourrit la vache ?

À la belle saison, toute la journée, la vache broute l'herbe des prés. En hiver, dans l'étable, elle mange de la paille, du foin, des céréales. Elle boit beaucoup, au moins 80 litres d'eau par jour !

Pourquoi dit-on que la vache rumine ?

La vache avale de l'herbe en la mâchant très peu et la met en réserve dans son estomac tout à fait particulier : la panse. Plus tard, quand elle se repose, elle fait remonter des petites boulettes d'herbe de sa panse à sa bouche. Elle les mâche longuement pour en faire une bouillie qu'elle pourra bien digérer lorsqu'elle l'aura avalée : on dit qu'elle rumine.

Pourquoi la vache remue-t-elle la queue ?

La vache agite sa queue en l'air pour chasser les mouches et les autres insectes qui viennent tourner autour d'elle pour la piquer.

Le mouton

Qui sont les moutons ?

Dans la famille mouton, il y a le papa bélier qui porte sur sa tête de grandes cornes recourbées, la maman brebis et le petit agneau qui naît au printemps. Les moutons sont recouverts d'un épais manteau de laine bouclée. Ils broutent de l'herbe et ruminent.

Pourquoi les moutons sont-ils tondus ?

Dès le printemps, on débarrasse les moutons de leur toison bouclée en les tondant pour qu'ils aient moins chaud en été, mais aussi pour enlever tous les insectes parasites qui les gênent. La toison est transformée en laine qui servira à fabriquer des vêtements.

Que fait-on avec le lait de la brebis ?

La brebis donne du lait avec lequel on va faire du fromage : par exemple, le roquefort.

À quoi sert le chien du berger ?

Le chien du berger surveille les moutons et les rassemble quand son maître le lui demande. Il les empêche de faire des bêtises et d'aller dans des endroits dangereux. C'est lui qui ramène le petit agneau égaré.

Comment vivent les moutons ?

En hiver, ils ne craignent pas le froid avec leur manteau de laine ! Les plus frileux restent dans leur maison, la bergerie. En été, l'herbe des prés se fait rare, alors ils s'en vont avec le berger et son chien sur les hauts pâturages de montagne. C'est la transhumance.

La chèvre

Qui est la chèvre ?

Sur la tête, elle porte deux cornes, sous le menton, une barbiche. Au bout de chaque patte, elle a deux doigts protégés par un sabot. Comme la vache et le mouton, c'est un ruminant. Quand elle pousse son cri, on dit qu'elle chevrote.

Les chèvres sont-elles toutes pareilles ?

Il existe des chèvres sans cornes, des chèvres naines et même des chèvres angoras à longs poils, frisées comme des moutons !

La chèvre aime-t-elle la liberté ?

Le fermier attache souvent la chèvre à un piquet, car si elle en a la possibilité, elle n'hésite pas à se sauver pour aller gambader en toute liberté… comme la petite chèvre de monsieur Seguin !

Que mange la chèvre ?

La chèvre mange de l'herbe, mais aussi des buissons épineux et des feuillages. Gourmande, elle n'hésite pas à se mettre debout sur ses pattes arrière pour attraper des bourgeons. Elle peut faire un désastre en défrichant tout sur son passage.

Comment s'appelle le bébé de la chèvre ?

Au printemps, la chèvre donne naissance à un ou deux chevreaux. On les appelle aussi des cabris. Leur papa est le bouc. Très tôt, ils s'amusent à cabrioler dans les prés.

Pourquoi y a-t-il des troupeaux de chèvres en montagne ?

L'été, le chevrier et son chien accompagnent et surveillent les chèvres dans les pâturages de montagne. Agiles, elles grimpent facilement les parois abruptes et sautent de rocher en rocher. Elles ont besoin de grands espaces pour brouter en toute liberté afin de donner du bon lait qui servira à fabriquer du fromage de chèvre.

Le cochon

Comment s'appellent les bébés cochons ?

Leur maman s'appelle la truie, leur papa, le verrat. Ils sont tout roses et bien dodus,
ils ont une queue en tire-bouchon, ce sont les cochonnets ou porcelets.
Il peut y en avoir 12 à la fois et même plus !
Avec les 12 tétines de leur maman, à chacun son biberon !

Le cochon est-il vraiment sale ?

On dit : « Être sale comme un cochon ». Pourtant le cochon aime bien la propreté. S'il se roule dans la boue, c'est pour se rafraîchir et se laver mais aussi pour se débarrasser des insectes qui le piquent.

Que mange le cochon ?

C'est un glouton. Il a toujours faim et il mange de tout. Des légumes, des fruits, des épluchures et même de la viande cuite. Quand les porcelets ont faim, ils font beaucoup de bruit dans la porcherie : on dit qu'ils grognent.

Tous les cochons sont-ils roses ?

Non ! Il y en a des tout noirs et même des bicolores.

L'âne et le cheval

Qui est l'âne ?

Il est un peu têtu, l'âne, mais il est très patient et pas bête comme le dit la légende ! Avec ses grandes oreilles et son pelage gris, l'âne est un animal calme et docile. Autrefois, il était très utile au fermier. Il portait de lourdes charges et participait aux travaux des champs. L'âne aime manger des carottes. Le petit s'appelle l'ânon, sa maman l'ânesse. Quand l'âne pousse son cri, on dit qu'il brait.

Y a-t-il beaucoup de chevaux dans les fermes ?

Autrefois, les chevaux tiraient la charrue et labouraient les champs. Comme l'âne, ils étaient très utiles au fermier. Aujourd'hui, ils sont remplacés par les tracteurs ! C'est pourquoi, on en trouve de moins en moins dans les fermes.

Où dort le cheval ?

Le cheval aime les grands espaces et galoper crinière au vent. Pour se reposer, il va dans l'écurie. Là, il se couche sur un lit de paille bien propre, mais comme l'âne, il peut aussi dormir debout ! Quand le cheval pousse son cri, on dit qu'il hennit.

Comment s'appelle le petit du cheval ?

On dit poulain pour un mâle, et pouliche pour une femelle. Il aime s'amuser et courir dans les prés. Il tète longtemps sa maman la jument. Devenu grand, il broute l'herbe et mange de l'avoine comme ses parents.

Le roi de la forêt

Avec sa grande couronne de bois sur la tête, le cerf se promène, majestueux.

Pourquoi le cerf a-t-il des bois ?

Pour défendre son territoire contre les adversaires qui essaient d'entrer chez lui. Le cerf se bat aussi pour conquérir une ou plusieurs biches.

Le cerf peut-il perdre ses bois ?

Chaque année, les bois du cerf tombent. Peu à peu, ils repoussent, recouverts d'une peau qui le chatouille. Alors il se gratte contre un arbre pour s'en débarrasser.

Comment s'appelle le cri du cerf ?

C'est le brame. Pour attirer les biches et éloigner les autres cerfs au moment des amours, le cerf pousse ce cri qui s'entend de très loin dans la forêt.

Comment s'appelle le bébé cerf ?

C'est le faon. Un peu maladroit, il tient déjà debout sur ses pattes et commence à téter la biche, sa maman. Son pelage est couvert de taches blanches qui vont disparaître lorsqu'il sera plus grand.

L'écureuil

L'écureuil dort-il dans un terrier ?

Au sous-sol, l'écureuil préfère la cime des arbres.
Son nid fait de brindilles est tout rond.
L'intérieur est tapissé de mousse pour accueillir toute sa petite famille.
Les petits écureuils jouent à cache-cache en se poursuivant dans les branches.
Leur queue n'est pas encore en panache.

Que fait l'écureuil avant l'hiver ?

L'écureuil malin enterre ses provisions.
Étourdi, il oublie parfois ses cachettes.
Mais grâce à son flair, il les retrouve même sous la neige.

Que fait l'écureuil en hiver ?

Il dort souvent dans la journée, dans le nid bien au chaud.
Sa queue lui sert de couverture.

Que fait l'écureuil dans les arbres ?

Il choisit de préférence un arbre où il y a de bonnes choses à manger : noisettes, glands, ou pommes de pin, il en raffole ! Rapide comme l'éclair, il grimpe aux arbres en s'accrochant à l'écorce avec ses griffes.

Sa queue lui sert de balancier pour garder son équilibre quand il saute de branche en branche.

Et hop ! il redescend aussi facilement, la tête en avant !

En famille

Comment s'appellent les bébés lapins ?

Ce sont les lapereaux. Ils ne s'éloignent pas du terrier, au cas où le renard pointerait le bout de son nez ! Entre deux galipettes, un brin de toilette, les lapereaux grignotent les brins d'herbe et les écorces sous la haute surveillance de maman lapin.

Aux aguets

Qui chasse l'écureuil ?

Du haut de son perchoir, la martre est aux aguets. Aussi agile que l'écureuil, elle est son principal ennemi et lui, son repas préféré.

Qui croque les lapins ?

C'est le putois. Il pousse des cris et en plus il sent très mauvais. Il guette les lapins et n'hésite pas à les manger.

À la queue leu leu

Comment se déplacent les bébés musaraignes ?

Maman musaraigne et ses petits sont de sortie. Ils forment une drôle de caravane. Ils avancent en se tenant par la queue avec leurs dents !

Des piquants partout

Avec ses milliers de piquants,
le hérisson ne craint presque rien.

Pourquoi le hérisson se roule-t-il en boule ?

Dès qu'il se sent en danger,
au moindre bruit, le hérisson
se roule en boule en dressant
ses piquants pour se protéger.
Le renard, pas si rusé, aimerait bien
le croquer, mais il ne tient pas
à se faire piquer le bout du nez !

Que mange le hérisson ?

Avec son nez pointu, il furète sous les feuilles, à la recherche
de limaces, d'escargots et de vers. Il peut aussi manger
des petits serpents.

Un museau pointu

Où vit la taupe ?

Un museau pointu, des mains
griffues, la taupe est presque aveugle
et vit sous terre dans
son vaste réseau de galeries.

Que mange la taupe ?

Des vers, des insectes : dans la terre,
il y a tout ce qu'il faut !
Gare à la limace étourdie qui tombe
dans le trou, elle sera avalée tout cru.

Comment sont les bébés taupes à la naissance ?

Tout lisses et blanc rosé !
Ils naissent au printemps.

Comment la taupe creuse-t-elle ses galeries ?

Elle s'enfonce dans le sol, soulève la terre avec son museau, creuse avec ses griffes
et rejette vers l'extérieur des petits tas qui forment des taupinières.

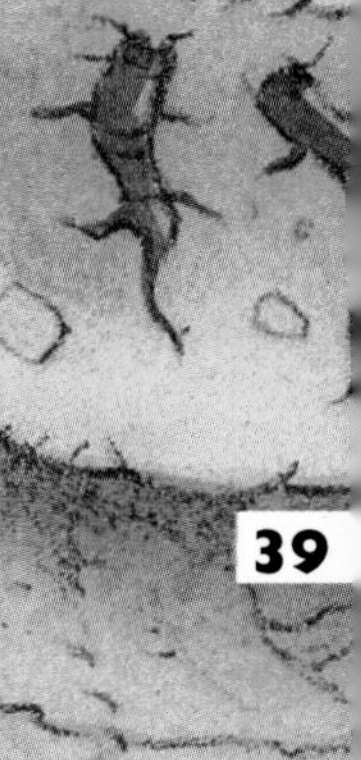

Des oiseaux à tous les étages

Du sol à la cime, que font les oiseaux dans l'arbre ?

Pour manger les escargots, la grive casse leurs coquilles en les tapant sur des pierres. Le merle et la bécasse au long bec cherchent des vers dans la terre. Le pic creuse le tronc pour y trouver des larves d'insectes du bois. Le pinson grimpe aux branches pour y trouver des graines. La fauvette et la mésange bleue volettent à la recherche d'insectes.
Chut ! le hibou essaie de faire la sieste !
À tous les étages, il y a de quoi manger pour tout le monde !

Comment l'oiseau fait-il son nid ?

À l'étage qui lui convient, l'oiseau choisit un endroit pour installer son nid et mettre ses petits à l'abri. Chaque fois qu'il ramène des brindilles, de la mousse, des brins d'herbe, des feuilles, des plumes, l'oiseau s'installe au centre du nid et tourne sur lui-même pour donner une forme à sa future habitation.

Des oiseaux de nuit : la chouette et le hibou

Comment reconnaît-on la chouette et le hibou ?

Une tête ronde, deux gros yeux, un bec crochu, ils se ressemblent, mais le hibou, lui, porte des plumes sur la tête, comme s'il avait des oreilles !
La chouette et le hibou dorment le jour.
C'est seulement la nuit qu'ils sortent pour chasser.
Ce sont des rapaces.

Comment chassent la chouette et le hibou ?

Ils volent en silence dans la nuit noire, aux aguets. Gare au campagnol qui sort de son terrier ! Ils se laissent tomber sur lui, l'emportent dans leurs griffes recourbées avant de l'avaler tout cru.

Que font les oiseaux de nuit dans la journée ?

Ils se reposent ! Sur son perchoir, une chouette essaie de s'endormir. Mais elle est souvent dérangée par les petits oiseaux qui viennent lui tourner autour en poussant des cris d'alarme pour avertir leurs compagnons du danger.

Où la chouette et le hibou font-ils leur nid ?

La chouette installe sa nichée dans un trou d'arbre. Le hibou choisit plutôt un nid abandonné sur un arbre.

La maison des blaireaux

Dans la maison des blaireaux, il y a plein de galeries, des chambres pour les tout-petits, des dortoirs pour les plus grands et même des cabinets !

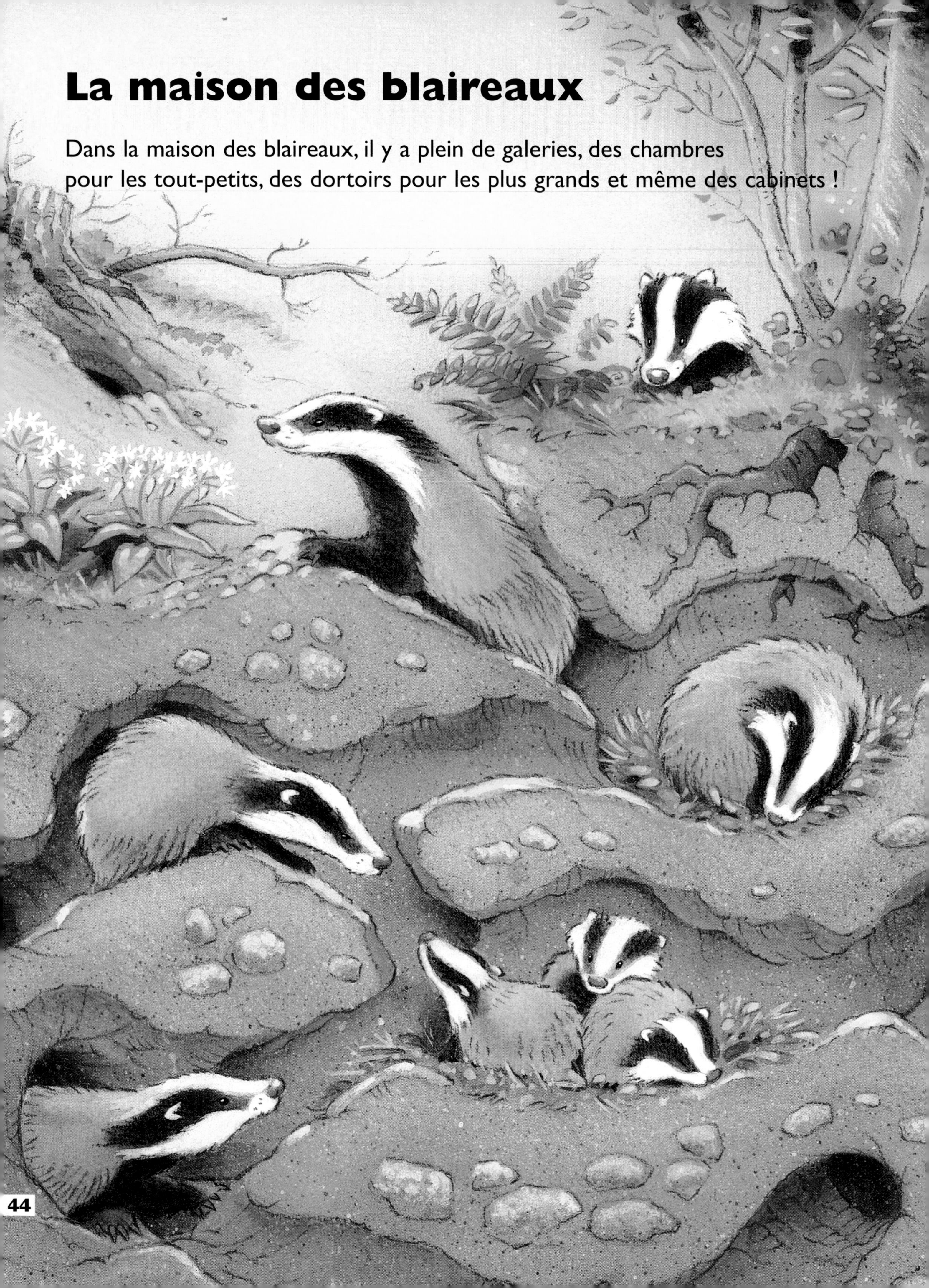

Comment vit le blaireau ?

Avec son museau pointu et ses pattes griffues, il passe beaucoup de temps à creuser de nouvelles galeries pour embellir son terrier. Il ne sent pas très bon et pourtant il aime la propreté ! Il fait souvent le ménage, les chambres sont nettoyées, les vieilles litières changées, et pour aérer, il construit même une petite cheminée !

Comment le blaireau fait-il sa toilette ?

Il se gratte très fort contre un arbre, puis avec beaucoup de soin, il enlève toutes les petites bêtes qui se cachent dans ses poils.

Que fait le blaireau la nuit ?

Il s'est reposé toute la journée dans sa chambre à coucher ! La nuit venue, il sort pour manger, accompagné de ses petits. Le ver de terre est son plat préféré ! Il en avale des dizaines en les aspirant comme des spaghettis !

Entre deux repas, les petits blaireaux s'amusent une bonne partie de la nuit !

Les petits rongeurs

Les dents des rongeurs s'usent-elles ?

À force d'être frottées contre les racines, les noisettes, les glands et autres graines, les incisives des rongeurs finissent par s'user. Mais comme ces dents poussent sans arrêt, ils peuvent continuer tranquillement à grignoter.

Il se nourrit de fruits et de graines en automne, et préfère manger des petits animaux de toute sorte au printemps et en été. C'est le lérot.

Il sort de son terrier pour grignoter les fruits de la forêt. C'est le mulot.

Il ronge sans arrêt, mais ce qu'il préfère ce sont les racines. C'est le campagnol.

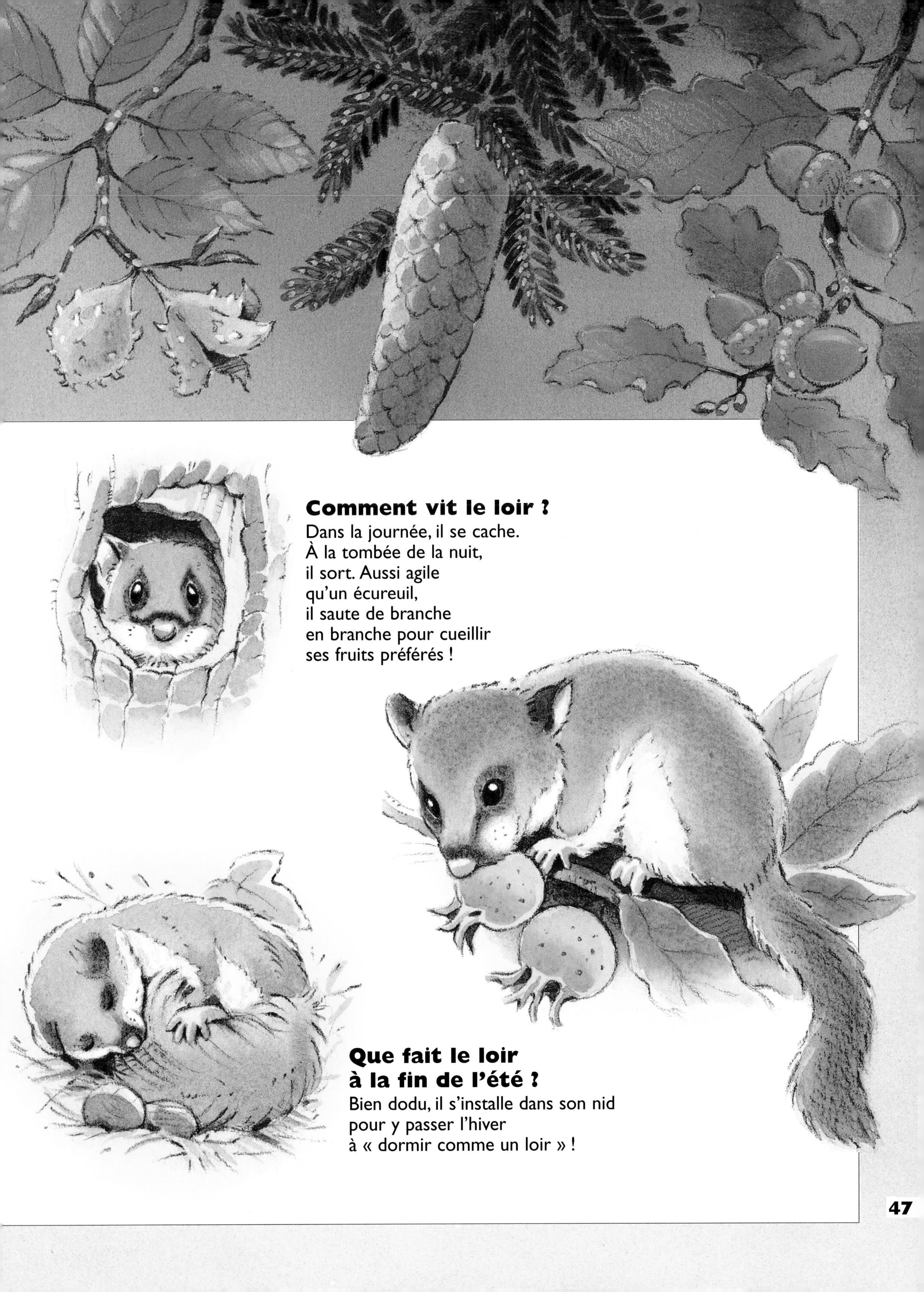

Comment vit le loir ?

Dans la journée, il se cache.
À la tombée de la nuit,
il sort. Aussi agile
qu'un écureuil,
il saute de branche
en branche pour cueillir
ses fruits préférés !

Que fait le loir à la fin de l'été ?

Bien dodu, il s'installe dans son nid
pour y passer l'hiver
à « dormir comme un loir » !

Le renard

Que mange le renard ?

Le renard au pelage roux et au museau pointu est très rusé. Pour se nourrir, il chasse sans répit les petits animaux de la forêt. Gourmand, il ne dédaigne pas non plus quelques fraises des bois ou des mûres bien sucrées !

Comment s'appellent les petits du renard ?

Ce sont les renardeaux. La famille renard habite dans un grand terrier. Les petits sortent pour s'amuser sous l'œil vigilant de la renarde, leur maman. Bientôt eux aussi vont apprendre à chasser et à se défendre tout seuls.

Le sanglier

Que fait le sanglier dans la journée ?

Énorme et impressionnant, le sanglier est pourtant craintif. Alors dans la journée, il se cache et s'il le peut, il se livre à son activité préférée : patauger et prendre son bain dans une mare de boue.

Comment s'appelle le museau du sanglier ?

Plus allongé que celui du cochon, le museau du sanglier porte le même nom. C'est le groin. Il lui sert à chercher dans la terre des glands, des racines et des vers dont il se nourrit.

Comment s'appellent les petits du sanglier ?

Tout rayés de marron, ce sont les marcassins. Avec eux, leur maman, la laie, est très occupée. Elle peut avoir dix petits à la fois. Quelle famille nombreuse !

Drôles d'oiseaux

Quel est l'oiseau qui crie son nom ?

« Cou-cou ! cou-cou ! » Dès le printemps, on entend son chant dans le bois. C'est le coucou.

Où le coucou pond-il ses œufs ?

Le coucou pond ses œufs un par un dans les nids des autres oiseaux. Quand le petit coucou naît, il se débarrasse des œufs du nid en les jetant dehors. Il est nourri par ses parents adoptifs même s'il devient plus gros qu'eux !

Quel est l'oiseau qui plante des glands ?

C'est le geai des chênes. En automne, il prépare ses provisions pour l'hiver. Il ramasse des glands et les enfouit dans la terre. Mais il ne retrouve pas toujours ses cachettes, alors les glands germent. Ils deviendront peut-être des chênes.

Quel est l'oiseau qui cache des noisettes ?

C'est le casse-noix. Comme le geai, il fait des provisions. Il cache des noisettes dans la terre. En hiver, il arrive à les retrouver même sous une épaisse couche de neige.

Le roi des animaux d'Afrique, le lion

La lionne a-t-elle une crinière ?

Seul le mâle porte une crinière.
Elle peut lui servir à protéger sa tête contre les coups de patte d'un rival lorsqu'il se bat pour conquérir une femelle, par exemple.

Que font les lions couchés sous les arbres ?

Ils cherchent la fraîcheur et la tranquillité. Après avoir bien dormi toute la journée, la nuit, ils s'en vont chasser.

Pourquoi le lion rugit-il ?

Son énorme rugissement – qui s'entend de très loin – est plutôt impressionnant ! Il lui sert à signaler, par exemple, qu'il est sur son territoire. Il vaut mieux ne pas déranger Sa Majesté le lion !

À quoi jouent les jeunes lionceaux ?

Ils s'exercent à bondir et s'amusent avec la queue remuante de papa lion lorsqu'il chasse les mouches !

Les lionceaux savent-ils chasser ?

Maman lionne leur apprend à chasser. Au début, ils sont plutôt maladroits et se contentent de regarder, cachés derrière un buisson.

Le crocodile du Nil

Comment nage le crocodile ?

Il se déplace très vite en ondulant comme un serpent et en donnant de grands battements de queue dans l'eau. Lorsqu'il flotte, on aperçoit seulement son museau et ses yeux guettant tout ce qui bouge.

Comment se déplace le crocodile à terre ?

Il glisse lentement sur son ventre, ou bien marche, dressé sur ses quatre pattes.
Il peut galoper comme un lièvre en bondissant et arrive à courir très vite.
Il est quand même plus à l'aise dans l'eau.

Comment naissent les bébés crocodiles ?

Maman crocodile a pondu des œufs au bord de l'eau et les a recouverts de sable. Elle reste tout près pour les surveiller. Dès qu'ils ont brisé la coquille, les bébés poussent des cris et leur mère enlève le sable. Ils sont tout petits et s'en vont très vite dans l'eau.

Que font les oiseaux qui se promènent autour des crocodiles ?

La gueule grande ouverte, le crocodile se repose. C'est le moment que choisit le pluvian d'Égypte pour aller picorer dans sa mâchoire des parasites et quelques restes de repas ! Le crocodile apprécie cette toilette et ne fait pas de mal à l'oiseau.

Un long cou, la girafe !

Avec quels autres animaux africains la girafe vit-elle en troupeau ?

Elle vit en compagnie des zèbres et des gazelles. Du haut de son long cou, elle peut apercevoir un ennemi et avertir ses compagnons du danger.

À quoi sert le cou de la girafe ?

Grâce à lui, elle peut atteindre la branche de l'acacia, son arbre préféré. Avec sa longue langue bleue, elle arrache les feuilles et les porte à sa bouche. Elle ne craint pas la piqûre des épines.

Dans quelle position dort la girafe ?

Elle somnole le plus souvent debout. Mais elle peut aussi se coucher. Elle replie alors son cou en arc de cercle vers l'arrière et soutient sa tête avec la cuisse. Elle se lève souvent et ne dort que quelques minutes, d'un profond sommeil.

Comment fait la girafe pour boire ?

Avec les pattes de devant, elle fait le grand écart ! Dans cette position, elle fait descendre son long cou pour atteindre l'eau et boire.

Malin comme un singe, le chimpanzé

En Afrique, que font les chimpanzés dans les arbres ?

Ils y vivent en famille, y construisent un abri pour dormir et n'oublient pas de faire leur toilette ! Dans les arbres, ils font aussi beaucoup de bruit, frappent des mains, tapent des pieds et jouent du tambour sur les troncs !

Comment se déplace le chimpanzé ?

À terre, il marche à quatre pattes, en s'appuyant sur le dos des mains. Dans les arbres, il s'élance de branche en branche et se suspend aux lianes.

Comment maman chimpanzé porte-t-elle son petit ?

Pendant plusieurs mois, elle le promène à califourchon sur son dos.

Que mange le chimpanzé ?

Des feuilles, des bourgeons, des tiges, des écorces et même des insectes ! Dans les arbres, il y a tout ce qu'il faut pour le repas du chimpanzé !

Le chimpanzé est-il malin ?

C'est un animal très intelligent. Pour capturer les termites, il glisse une brindille dans la termitière : les insectes viennent s'y poser et le chimpanzé n'a plus qu'à les suçoter.

Un géant, l'éléphant !

Pourquoi l'éléphant est-il si souvent dans l'eau ?

Il se baigne et s'asperge pour se rafraîchir car il fait très chaud dans la savane. Il se désaltère. L'éléphant est un grand buveur d'eau ; il peut en avaler cent litres par jour ! Il aime aussi vivre en famille et c'est dans l'eau qu'il retrouve tous ses compagnons pour former le grand troupeau.

À quoi sert la trompe de l'éléphant ?

C'est un grand nez qui lui permet de sentir les odeurs et de respirer.

Elle lui sert de pompe pour aspirer l'eau et boire…

…de main pour saisir les feuilles dont il se nourrit…

… de tuyau d'arrosage pour prendre sa douche !

Il s'en sert aussi pour jouer…

… pour nettoyer ses oreilles…

… et même pour aider son éléphanteau maladroit.

Une île flottante, l'hippopotame

L'hippopotame est-il agile ?

Il flotte dans l'eau comme une bouée ! Malgré son poids, il s'y déplace avec agilité. Il plonge, nage, marche et court même, dans les endroits peu profonds.

Où naît le bébé hippopotame ?

Il naît dans l'eau. Il tète aussi dans l'eau et entre chaque gorgée, remonte à la surface pour respirer.

Pourquoi l'hippopotame bâille-t-il ?

Lorsqu'il ouvre tout grand sa gueule, on dirait qu'il bâille ! Rien de tel pour effrayer qui chercherait à le taquiner. Il affirme de cette manière qu'une partie de la rivière lui appartient.

Un nez à corne, le rhinocéros

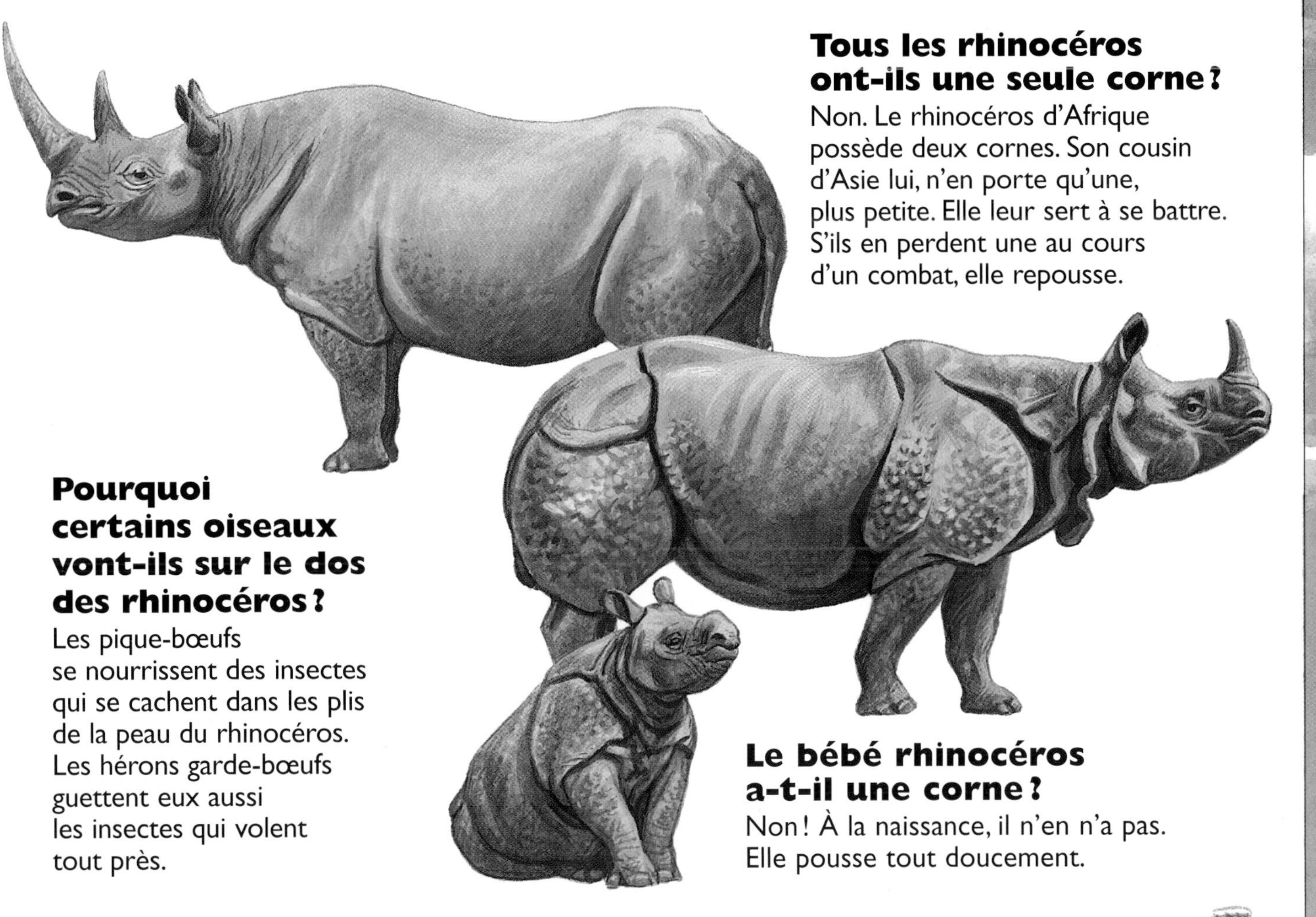

Tous les rhinocéros ont-ils une seule corne ?

Non. Le rhinocéros d'Afrique possède deux cornes. Son cousin d'Asie lui, n'en porte qu'une, plus petite. Elle leur sert à se battre. S'ils en perdent une au cours d'un combat, elle repousse.

Pourquoi certains oiseaux vont-ils sur le dos des rhinocéros ?

Les pique-bœufs se nourrissent des insectes qui se cachent dans les plis de la peau du rhinocéros. Les hérons garde-bœufs guettent eux aussi les insectes qui volent tout près.

Le bébé rhinocéros a-t-il une corne ?

Non ! À la naissance, il n'en n'a pas. Elle pousse tout doucement.

Drôles de bêtes des forêts tropicales

Comment se déplace le paresseux ?
Le plus lentement possible ! Il avance, suspendu aux branches, le ventre en l'air, le dos tourné vers le sol comme s'il était dans un hamac. Il descend rarement à terre où il se traîne à plat ventre, car il n'est guère capable de marcher.

Pourquoi le singe de nuit a-t-il de si grands yeux ?
Grâce à ses gros yeux, il peut voir facilement par les nuits les plus sombres. On l'appelle aussi douroucouli ; il est un des rares singes actifs la nuit.

Pourquoi le tatou se roule-t-il en boule ?

Comme le hérisson, le tatou se roule en boule sur lui-même dès qu'il se sent en danger. Il enferme son museau et sa queue dans sa carapace d'écailles. À l'abri dans sa cachette, il ne craint plus rien.

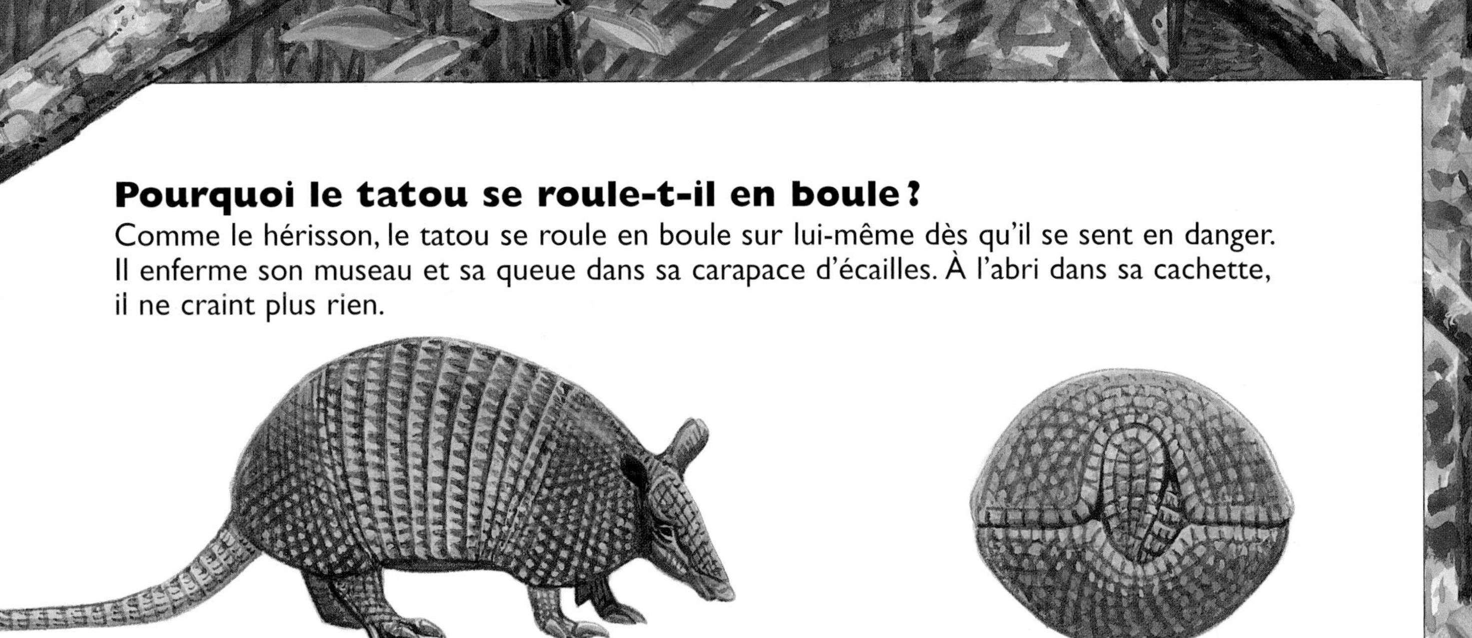

Le grand fourmilier mange-t-il vraiment des fourmis ?

Avec ses grandes griffes, il détruit les fourmilières pour en faire sortir leurs habitants. Les fourmis affolées viennent se poser sur sa longue langue collante. Il peut en avaler 30 000 en une journée !

De toutes les couleurs !

Pourquoi le caméléon tire-t-il la langue ?

Ce n'est pas pour faire une grimace mais pour capturer les insectes dont il se nourrit. Le caméléon projette à une vitesse surprenante, sa longue langue gluante sur la proie qui y reste collée et sera aussitôt avalée. Le caméléon blessé à la langue peut mourir.

Quand le caméléon change-t-il de couleur ?

• Suivant le lieu où il se trouve.
Sur le sol, il prend la couleur de la terre, dans les arbres, il devient tout vert.

• Suivant l'heure de la journée.
La nuit, il est très sombre.

• Suivant son humeur, le caméléon change aussi de couleur.

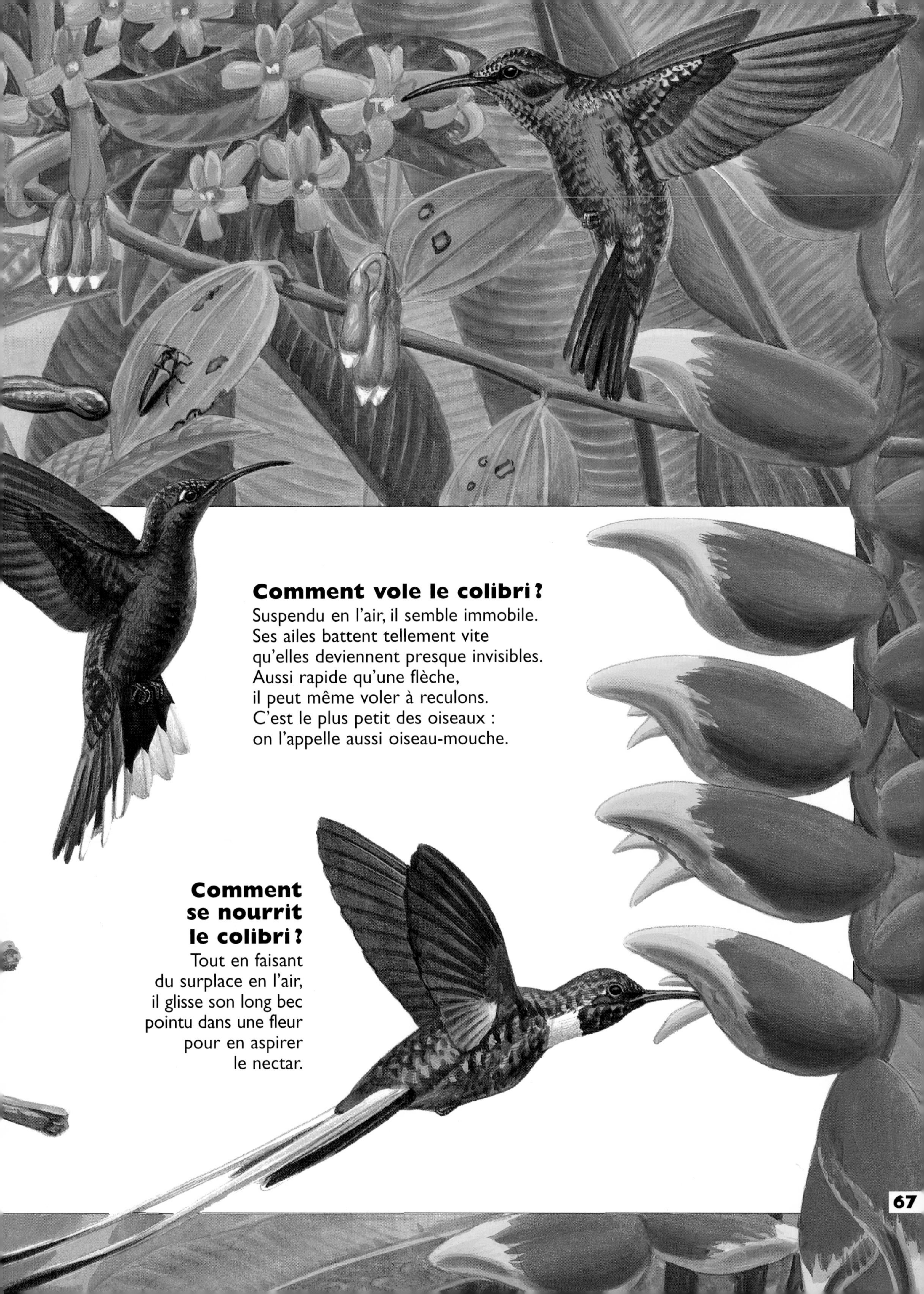

Comment vole le colibri ?

Suspendu en l'air, il semble immobile.
Ses ailes battent tellement vite
qu'elles deviennent presque invisibles.
Aussi rapide qu'une flèche,
il peut même voler à reculons.
C'est le plus petit des oiseaux :
on l'appelle aussi oiseau-mouche.

Comment se nourrit le colibri ?

Tout en faisant
du surplace en l'air,
il glisse son long bec
pointu dans une fleur
pour en aspirer
le nectar.

Un bec à tout faire, le toucan

Le bec du toucan est-il vraiment très lourd ?

Il a un bec géant, le toucan ! Mais il est très léger et solide. Le toucan peut tout faire avec… ou presque !

Il peut : chasser les gêneurs et leur faire peur…

… se battre comme avec une épée.

… cueillir des fruits sans se déplacer, les faire glisser dans son gosier…

Ce grand bec ne le gêne ni pour voler ni pour dormir !

Un oiseau bavard, le perroquet

Que fait le perroquet avec son bec recourbé ?

Avec un tel bec, pas besoin de casse-noisettes : les coques les plus dures ne lui résistent pas ! Sa pointe recourbée ressemble à un crochet. C'est bien pratique pour manger des fruits ou escalader un tronc d'arbre !

Que font les perroquets dans les arbres ?

Beaucoup de bruit !
Ils se rassemblent en haut des grands arbres et passent leur temps à jacasser, à siffler, à voler de branche en branche en poussant des cris stridents.
Avec ses longues plumes multicolores, l'ara est le plus grand des perroquets.

Un félin rayé d'Asie, le tigre

Où habite le tigre ?

Le tigre est un des rois de la jungle !
Mais on le trouve aussi en plaine,
en montagne ou le long des cours d'eau.
Il vit en solitaire et installe sa tanière
sous des arbres couchés, entre
des rochers ou dans une grotte,
dans laquelle il fait un lit d'herbes
et de feuilles séchées.

Le tigre peut-il vivre dans la neige ?

Oui ! Le tigre de Sibérie vit dans les montagnes.
Son épaisse fourrure le protège du froid.
Il ne craint pas les tempêtes de neige,
et les températures les plus basses
ne le gênent pas.

Le tigre sait-il nager ?

Il aime l'eau et c'est un excellent nageur. Il attrape même des poissons !
Le tigre boit beaucoup et installe souvent sa tanière,
cachée dans la végétation, le long d'un fleuve.

Dans les déserts rocheux

Existe-t-il des kangourous aussi petits qu'un rat ?

Oui ! C'est le rat kangourou du désert. Il marche sur ses deux grandes pattes arrière et fait des bonds prodigieux dans toutes les directions. Il vit dans un profond terrier.

Que fait le crotale avec sa queue ?

En cas de danger, il menace en agitant très fort le bout de sa queue. Il produit ainsi un son que ses ennemis entendent de loin. On l'appelle aussi serpent à sonnette.

Où habite la chouette des cactus ?

Cette toute petite chouette s'installe dans un trou creusé par un autre oiseau, un pic, dans un cactus géant.

Y a-t-il des tortues dans le désert ?

Oui ! Elles passent les heures les plus chaudes de la journée dans un terrier et sortent la nuit pour manger des plantes grasses. Pendant les pluies, en été, les tortues du désert boivent les flaques d'eau.

Dans les déserts sableux

Comment s'appelle le plus petit des renards ?

Sa fourrure épaisse le protège de la chaleur du jour et du froid de la nuit, moment qu'il choisit pour sortir du terrier et aller chasser des petits rongeurs ou des insectes. Ce renard est plutôt timide et craintif.
C'est le fennec.

Comment s'appelle le rat sauteur du désert ?

Il saute sur ses pattes arrière et peut faire d'incroyables bonds en zigzag.
Sa queue, deux fois plus longue que son corps lui sert de balancier.
C'est la gerboise.

La bosse du dromadaire est-elle remplie d'eau ?

Non ! C'est une réserve de graisse. Quand le dromadaire ne trouve plus ni à manger, ni à boire, cette graisse se transforme en aliments riches en énergie et aussi en eau qui passent directement dans son sang.
Il peut ainsi survivre pendant plusieurs jours.
Il y a longtemps, le dromadaire vivait à l'état sauvage; aujourd'hui, il est très utile à l'homme.

Un bébé dans la poche ! Le kangourou

À quoi sert la poche du kangourou ?

Sur le ventre, la femelle kangourou a une petite poche qui cache ses mamelles. C'est là que bébé kangourou va vivre ses premiers mois.
Les animaux qui élèvent leur bébé dans une poche s'appellent des marsupiaux.
Les mâles, eux, n'ont pas de poche.

Que fait le bébé kangourou dès sa naissance ?

À la vitesse d'un escargot, il escalade le ventre de sa maman pour aller se glisser dans la poche.

Il est rose et tout nu ! Il pèse à peine un gramme et mesure deux centimètres.

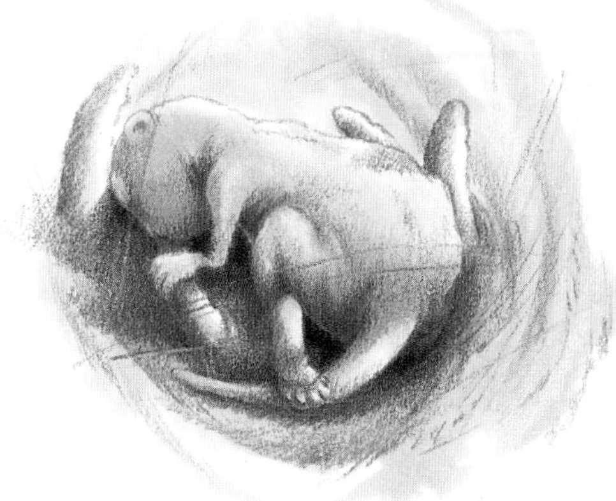

Que fait le bébé kangourou dans la poche de sa maman ?

Accroché à une tétine, il va recevoir du lait pendant plusieurs mois, bien au chaud dans son abri.

Il continue à grandir et à se développer. À six mois, pour la première fois, il pointe le bout de son nez hors de la poche et découvre le monde.

Entre deux courses en liberté, le petit kangourou n'oublie pas l'heure de la tétée. C'est facile, il suffit de glisser la tête dans la poche !

L’ourse et les oursons

Où et quand naissent les oursons ?

Les ours vivent dans les forêts de montagne. Toute la famille habite dans une tanière. Les oursons naissent en hiver. Ils sont aveugles et pas plus gros qu’un rat. Ils se blottissent dans la fourrure de maman ourse qui les allaite. Elle ne les quittera pas jusqu’à l’âge de deux ans.

Que mangent les oursons ?

Ils se régalent de tout ce que peut leur offrir la forêt.
Par exemple, des fruits des bois à la belle saison, des champignons et des glands à l’automne.

Un rayon de miel volé aux abeilles, dans le creux d’un arbre. Des escargots et, pourquoi pas, une poignée de fourmis sorties d’une fourmilière éventrée.

Les oursons savent-ils pêcher ?

Ils n'hésitent pas à aller dans l'eau pour attraper, d'un seul coup de patte, un poisson bien frais.

Les oursons savent-ils grimper aux arbres ?

En cas de danger, lorsqu'un ennemi rôde, maman ourse fait monter ses petits sur un arbre pour les protéger. Ils s'accrochent à l'écorce avec leurs griffes et grimpent avec agilité. L'ourse peut même devenir très méchante pour défendre ses oursons.

Des peluches dans les arbres, les koalas

Le koala est-il un ours ?

Bien qu'il ressemble à un ours en peluche, le koala est un marsupial. Comme le kangourou, il élève son bébé dans une poche. Il vit dans les forêts d'eucalyptus, en Australie.

Comment se déplace le koala avec son bébé ?

Le bébé koala reste longtemps dans la poche de sa mère qui s'ouvre vers le bas. Quand il pointe le bout de son nez pour la première fois, il a la tête à l'envers ! Il va très vite sortir de la poche pour se promener accroché au ventre de sa maman, puis à califourchon sur son dos.

Le koala peut-il manger les feuilles de tous les arbres ?

Non ! Il se nourrit exclusivement de feuilles d'eucalyptus qu'il mâchouille longtemps, comme si c'était du chewing-gum !

Le cygne

Qui monte la garde près du nid des cygnes ?

Dans le grand nid des cygnes au bord de l'eau, maman couve.
Papa monte la garde. Gare aux intrus ! Il peut devenir très méchant !
Il pince avec son bec et donne de grands coups d'ailes.

Les petits cygnes peuvent-ils voler ?

À l'âge de quatre mois, ils savent déjà voler ! À l'âge adulte, ils sont devenus très lourds et ont un peu de mal à décoller. Ils doivent s'élancer sur l'eau pour prendre leur envol.

Comment se promène la famille cygne sur l'eau ?

Maman cygne est en tête, les petits sont derrière et papa ferme le convoi. Lorsqu'ils sont fatigués, les bébés cygnes grimpent sur le dos de leur maman et se laissent porter sur l'eau.

La maison des castors

Où habitent les castors ?

Dans une petite maison en forme de hutte que le castor a bâtie dans l'eau avec des branches d'arbres et de la boue. À l'intérieur, bien au sec, il y a une chambre, et dans le toit, une cheminée d'aération. Pour entrer et sortir de la hutte, il faut passer dans un couloir caché sous l'eau.

Les petits castors naissent-ils dans l'eau ?

Non ! Ils naissent bien au sec dans la hutte.
Ils ont déjà des poils et des incisives rongeuses.
Ils tètent leur maman et grandissent très vite.

Les bébés castors savent-ils nager ?

C'est l'heure du premier bain ! Maman castor prend un de ses petits entre ses pattes et l'emmène dans l'eau. Très vite, il commence à nager et à plonger. Gare à celui qui barbote trop longtemps dans l'eau ; maman castor veille et le ramène dans la hutte.

C'est plutôt rigolo de se promener sur l'eau, assis sur la queue de maman castor.

Comment le castor coupe-t-il un tronc d'arbre ?

Bébé castor a grandi. Avec ses parents, il apprend à scier les troncs d'arbres. À l'aide de ses grandes incisives, il ronge le bois en tournant autour du tronc. L'arbre abattu, il le découpe en rondins qui serviront à la construction d'un barrage.

Drôles de nids

Quel est l'oiseau qui coud son nid avec le bec ?

C'est la fauvette couturière !
Ce drôle de petit oiseau des îles choisit une grande feuille et la plie en cornet. À l'aide de son bec, il perce des trous le long des bords et les coud ensemble avec des fils de toile d'araignée en se servant toujours de son bec comme d'une aiguille !

Qui habite un nid qui se balance au-dessus de l'eau ?

C'est la rousserolle ! Pendant que le mâle chante, la femelle construit un nid en forme de corbeille. Ce nid suspendu entre les roseaux se balance au-dessus de l'eau.

Qui construit un nid énorme à la cime d'un arbre ?

C'est le héron ! Avec son grand bec, il transporte des branches pour construire son nid. Les héronneaux prennent leur nourriture dans le bec de leurs parents.

Qui installe son nid sur le toit d'une maison ?

C'est la cigogne !
Chaque année, au printemps, la cigogne retrouve son ancien nid et le répare avant de s'y installer. Les cigogneaux restent bien au chaud sous l'aile de leur maman.

Qui construit un nid sous le toit d'une maison ?

C'est l'hirondelle de fenêtre !
Avec de la boue et de la salive, elle fabrique des petites boulettes pour construire son nid en forme de coupe. Elle laisse juste une petite ouverture pour y entrer.

Qui niche sur un rocher dans la montagne ?

C'est l'aigle royal !
Il construit un grand nid fait de brindilles, très haut sur une paroi rocheuse.
C'est le papa qui apporte à manger aux petits aiglons tout blancs.
Le nid de l'aigle s'appelle l'aire.

La tortue de mer

Où la tortue de mer pond-elle ses œufs ?

Au moment de la ponte, la tortue quitte la mer et grimpe péniblement sur la plage. Elle creuse un trou dans le sable avec sa queue et ses pattes arrière. Elle pond une centaine d'œufs dans le creux, les recouvre avec le sable et retourne à la mer.

Comment naissent les bébés tortues ?

Deux mois après la ponte, les bébés sortent de l'œuf.

Ils brisent la coquille avec une dent, la dent de l'œuf, qui ensuite tombe.

Les bébés vont devoir faire beaucoup d'efforts
pour sortir de sous le sable, et se débrouiller tout seuls
car maman tortue est partie depuis longtemps. Dès qu'elles ont trouvé
leur chemin, les petites tortues s'en vont tout de suite dans l'eau.

Le flamant rose

À quoi ressemble le nid d'un flamant rose ?

C'est un grand nid en forme de cône. Le flamant rose le construit avec de la vase, des plumes et des coquillages, dans l'eau d'un étang tout près de la mer. La femelle y pond un seul œuf que les parents couvent à tour de rôle.

Comment les flamants élèvent-ils leur bébé ?

Les premiers jours, bien au chaud sous une aile, le poussin reçoit pour repas une bouillie qui coule du bec de sa maman.

Quelques semaines plus tard, ses parents l'emmènent à la « crèche ». Là, des milliers de poussins sont surveillés par les plus grands !

Dans la « crèche », les poussins se ressemblent tous, mais les parents ne se trompent jamais ! Ils reconnaissent leur petit à ses cris et ne donnent à manger à aucun autre poussin.

Qui est le principal ennemi du flamant rose ?

Quelquefois, le flamant est dérangé par un oiseau qui le tire par le bec pour le faire sortir de son nid, afin de lui dérober, en un quart de tour, un œuf ou un poussin dont il est très friand.
C'est le goéland.

Pourquoi les flamants sont-ils roses ?

Le poussin gris est devenu un grand oiseau aux ailes roses. Certains petits crustacés dont il se nourrit dans l'eau donnent cette belle couleur à ses plumes.

La loutre

Où vivent les loutres ?

Un terrier creusé dans la berge
avec une entrée sous la surface de l'eau,
un intérieur bien sec et douillet, aéré
par une cheminée : voici la maison des loutres !

Comment pêche la loutre ?

À peine au-dessus de l'eau, elle épie les poissons,
plonge, saisit sa proie dans sa bouche
et la ramène à terre pour la manger.
En observant maman, les jeunes loutres
apprennent très vite à pêcher le poisson
ou la grenouille.

Les jeunes loutres aiment-elles jouer ?

Oui ! Le jeu est même leur activité préférée.

Dans l'eau, elles se poursuivent
à la nage, en cherchant à attraper
leur queue.

Sur la terre, elles glissent
et se culbutent dans la boue.

Dans la neige,
elles font de la luge
et glissent la tête la première
le long d'une pente. Arrivées en bas,
elles remontent et recommencent !

La coccinelle et la punaise

Comment naissent les bébés de la coccinelle ?

Au printemps, la coccinelle pond des œufs sur une feuille pleine de pucerons.

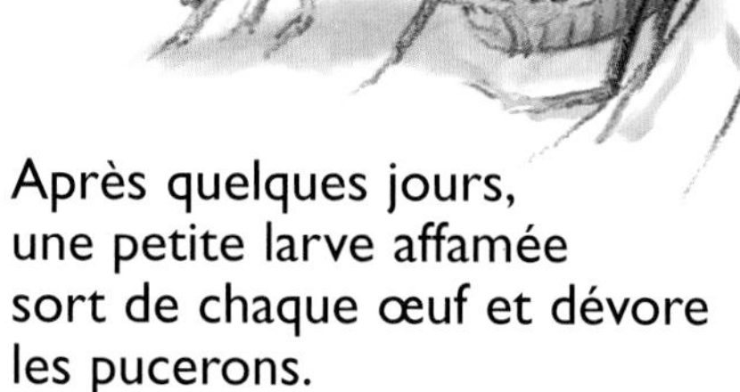

Après quelques jours, une petite larve affamée sort de chaque œuf et dévore les pucerons.

La larve grossit, elle se suspend à une feuille et se transforme en chrysalide comme la chenille

Huit jours plus tard, une coccinelle sort de son étui. Elle est toute jaune !

Bientôt des taches noires apparaissent ; petit à petit la coccinelle jaune devient rouge à points noirs.

Elle prend son envol et va passer son temps à manger des pucerons.

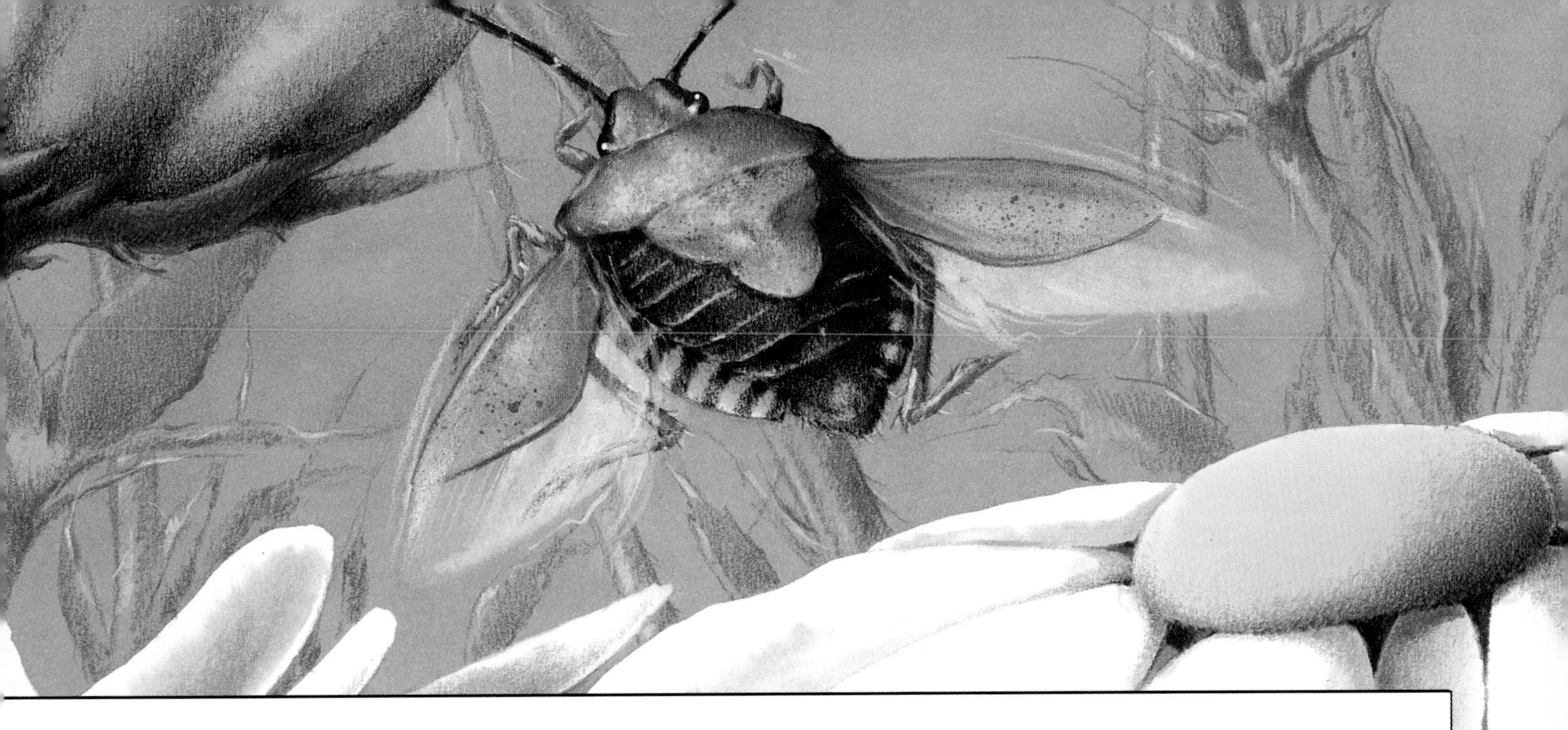

Toutes les coccinelles sont-elles rouges à points noirs ?

Non ! Il y en a des noires, des orangées, des jaunes et même des rayées.

La punaise pond-elle aussi des œufs ?

Oui ! Comme la plupart des insectes, la punaise pond des œufs, et elle s'en occupe jusqu'à l'éclosion.

Elle se pose dessus, non pas pour les tenir au chaud et les couver comme l'oiseau, mais pour les protéger de celui qui en ferait bien son repas !

Lorsque les bébés sortent de l'œuf, maman punaise reste quelque temps avec eux. Elle dégage une très mauvaise odeur qui décourage vite l'ennemi !